DANS LA MÊME COLLECTION :

Catalogage avant publication de Bibliothèque et Archives Canada

Kibuishi, Kazu, 1978-
[Escape from Lucien. Français]
L'évasion / Kazu Kibuishi ; texte français d'Achille(s).

(Amulet ; 6)
Traduction de : Escape from Lucien.
ISBN 978-1-4431-4544-2 (couverture souple)

1. Romans graphiques. I. Titre. II. Titre: Escape from Lucien.
Français.

PZ23.7.K53Ev 2016   j741.5'973   C2016-900249-7

Édition publiée par les Éditions Scholastic, 604, rue King Ouest, Toronto (Ontario) M5V 1E1.

6 5 4 3 2 1   Imprimé en Malaisie   108   16 17 18 19 20

Directeur artistique : David Saylor
Conception graphique : Phil Falco et Kazu Kibuishi

AMULET

KAZU KIBUISHI

LIVRE SIX
L'ÉVASION

TEXTE FRANÇAIS
D'ACHILLE(S)

Éditions
SCHOLASTIC

J'AI BIEN DE LA CHANCE QUE MA FONCTION ME PERMETTE DE RESTER DANS L'OMBRE, MAÎTRE GRIFFIN.

TANT QUE JE FAIS MON TRAVAIL, ON ME LAISSE TRANQUILLE.

JE VOUS RECOMMANDE UNE APPROCHE DANS LE MÊME ESPRIT, MESSIRE.

JE NE T'AI PAS DEMANDÉ DE CONSEILS, LOGI.

JE PRÉFÈRERAIS QU'ON MARCHE EN SILENCE.

EN QUALITÉ DE SERVITEUR DE LA MAISON ROYALE DES ELFES, J'AI VU DÉFILER UN GRAND NOMBRE DE DIRIGEANTS.

VOUS NE ME DEMANDEZ PAS DE CONSEILS, MAIS VOUS DEVRIEZ.

MALGRÉ TOUTE MON EXPÉRIENCE, JE RESTERAI TOUJOURS À L'ABRI DERRIÈRE MON ANONYMAT.

DES PRINCES TELS QUE VOUS CONNAISSENT LA GLOIRE, MAIS À QUEL PRIX?

POURQUOI ME DIS-TU CELA?

PARCE QUE JE SENS QUE VOUS DOUTEZ, MESSIRE.

JE SENS QU'UNE DÉCISION DIFFICILE DOIT ÊTRE PRISE.

UNE SENSATION QUI PRÉSAGE UN CATACLYSME.

LOGI, METTRAIS-TU EN DOUTE MA LOYAUTÉ ENVERS LA NATION ELFE?

NOUS NOUS CONNAISSONS DEPUIS DE NOMBREUSES ANNÉES MESSIRE, AI-JE DÉJÀ FAIT UNE CHOSE PAREILLE?

2

LE ROI M'A DEMANDÉ DE RESTER DEHORS.

J'ATTENDRAI ICI JUSQU'À VOTRE RETOUR.

LOGI, DEPUIS LE TEMPS, TU DEVRAIS SAVOIR QUE J'AGIRAI TOUJOURS DANS L'INTÉRÊT DU ROYAUME ELFE.

MÊME SI CELA SUSCITE DES DOUTES SUR MON ALLÉGEANCE.

VOTRE ALTESSE.

MAX GRIFFIN EST ARRIVÉ!

4

JE NE PEUX PAS RESTER LES BRAS CROISÉS ET LEUR PERMETTRE DE T'INSULTER.

QUALIFIER MON MEILLEUR OFFICIER DE TRAÎTRE EST UNE GRAVE ERREUR ET UNE TERRIBLE OFFENSE.

MAX, TU ES TOUT CE QUE MON FILS TRELLIS N'ÉTAIT PAS.

TA SOIF DE VENGEANCE A ÉTÉ COMME UN PHARE.

C'EST POUR CELA QUE J'AI FAIT DE TOI LE PRINCE.

UN JOUR, TU ME PARLERAS DE TA MALÉDICTION.

JE SUPPOSE QUE JE N'AIMERAI PAS CE QUE J'ENTENDRAI.

NE T'INQUIÈTE PAS, MAX.

CE JOUR N'EST PAS ENCORE VENU.

AUJOURD'HUI, PROMETS DE FINIR CETTE TÂCHE ET DE DÉTRUIRE LES AUTRES GARDIENS DE LA PIERRE.

PEUX-TU ME PROMETTRE CELA?

JE VOUS PROMETS DE SERVIR LES ELFES, VOTRE MAJESTÉ.

ET JE VOUS PROMETS DE LEUR FAIRE HONNEUR.

LA FORMATION AU COLOSSUS EST EN COURS.

TU AS ENTENDU CE QUE J'AI DIT?

LE COURS A COMMENCÉ ET ON EST ENCORE EN VOL.

IL FAUT QU'ON RENTRE.

ATTENDS.

DONNE-MOI JUSTE QUELQUES MINUTES DE PLUS.

C'EST CE QUE TU AS DIT IL Y A QUELQUES MINUTES.

NAVIN, ON A UNE DEMI-HEURE DE RETARD.

JE DOIS ENCORE JETER UN ŒIL À CERTAINES DE CES FORMATIONS DE NUAGES.

IL SE PASSE DES TRUCS BIZARRES, LÀ-HAUT.

HÉ, SI ON NE SE CONFORME PAS AUX RÈGLES, ON VA SE FAIRE EXPULSER DU PROGRAMME COLOSSUS, HAYES.

ET SI ÇA ARRIVE, MON PÈRE VA PIQUER UNE CRISE.

OK, OK. ON RENTRE.

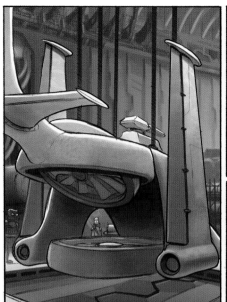

QU'EST-CE QUE VOUS AVEZ TROUVÉ, CHEF?

FAITES-MOI UN TOPO.

À PART QUELQUES NUAGES ÉTRANGES?

JE N'AI RIEN VU QUI SORTE DE L'ORDINAIRE.

NUAGES ÉTRANGES?

J'AI VU ÉNORMÉMENT DE CUMULONIMBUS.

MAIS LA TENEUR EN HUMIDITÉ DE L'AIR N'INDIQUAIT PAS QU'ON EN VERRAIT AUTANT.

DISCUTE SI TU VEUX, HAYES.

MAIS EN MARCHANT.

HMM, C'EST ÉTRANGE...

ON A RECALIBRÉ LES INSTRUMENTS HIER, MAIS IL SE PEUT QUE J'AIE FAIT UNE ERREUR.

J'IRAI VOIR ÇA DE PLUS PRÈS.

OUVREZ TOUS VOS MANUELS AU CHAPITRE SIX.

AUJOURDH'UI, NOUS ALLONS ÉTUDIER LES MÉCAS LÉGERS.

UNE ARMURE MOBILE LÉGÈRE PEUT ÊTRE LA CLÉ...

LA CLÉ DE LA VICTOIRE SUR...

HÉ!

VOILÀ QUI EST GÊNANT.

HAYES!

QU'AVAIS-JE DIT À PROPOS DES RETARDS?

HUM, DE NE PAS L'ÊTRE!

C'EST EXACT.

DE NE PAS L'ÊTRE.

VOUS ÊTES CENSÉ ÊTRE LE MEILLEUR, LE PLUS BRILLANT.

AGISSEZ COMME TEL.

OUI.

VOUS NOUS DONNEREZ LE BON EXEMPLE QUAND VOUS REVIENDREZ DEMAIN.

PENSEZ-Y BIEN, ET TROUVEZ LE MOYEN DE NE PAS NOUS DÉCEVOIR.

MAINTENANT SORTEZ D'ICI.

NAVIN, J'AIMERAIS QUE TU SACHES À QUEL POINT J'AIME ASSISTER AUX COURS.

EH BIEN, JE TROUVE QU'IL A ÉTÉ UN PEU DUR.

CET HOMME A VU PLUS DE CHOSES QUE NOUS N'EN VERRONS JAMAIS.

ON A DE LA CHANCE DE L'AVOIR COMME PROFESSEUR.

IL A ENVIE DE PARTAGER CE QU'IL SAIT, NOUS DEVRIONS L'ÉCOUTER.

OK, OK.

J'ÉCOUTERAI, MAIS ON NE DEVRAIT PAS ÊTRE PUNIS POUR AVOIR FAIT DU BON TRAVAIL.

J'ESSAYAIS SEULEMENT D'AIDER.

FAIS LES DEUX.

PAR LÀ.

QU'EST-CE QU'ON FAIT ICI?

PUISQU'ON S'EST FAIT RENVOYER DU COURS...

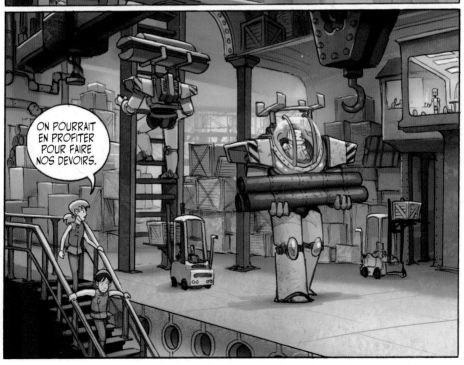

ON POURRAIT EN PROFITER POUR FAIRE NOS DEVOIRS.

COMBIEN DE FOIS DEVRAIS-JE VOUS LE DIRE?

CETTE HUILE EST POUR LA MACHINE. CE N'EST PAS UNE BOISSON!

COGSLEY!

PRÉPARE DEUX ROBOTS CHARGEURS!

HEIN?

GLOUP! GLOUP!

JE PENSAIS QUE VOUS ÉTIEZ ENCORE EN CLASSE, TOUS LES DEUX.

QU'EST-CE QUE VOUS FAITES ICI?

NAVIN NOUS A VIRÉ DE COURS, J'AI DONC PENSÉ QU'ON POURRAIT VENIR S'ENTRAÎNER ICI.

S'ENTRAÎNER?

CES ROBOTS SONT PARFAITS POUR S'EXERCER.

COMMENT ÇA VA, ICI?

PAS TERRIBLE.

JE DOIS FORMER CES BOÎTES DE CONSERVE À FAIRE TOURNER LE GARAGE.

ET COMME TU PEUX LE VOIR...

J'AI DU PAIN SUR LA PLANCHE.

GLOUP!

ÊTES-VOUS SÛRS DE VOULOIR FAIRE ÇA?

J'AI L'IMPRESSION QUE JE NE SERAI PAS LE SEUL À AVOIR DES PROBLÈMES SI LE CAPITAINE L'APPREND.

MON COPAIN CARL S'EST FAIT EMPORTER PAR UNE BOURRASQUE, HIER.

S'IL ARRIVE LA MÊME CHOSE À L'UN D'ENTRE VOUS, JE VAIS FINIR PAR ME FAIRE RECYCLER.

MON PÈRE M'A APPRIS À PILOTER UN SILVERHAWK QUAND J'AVAIS DIX ANS.

JE DEVRAIS M'EN SORTIR.

CES ROBOTS CHARGEURS SONT MAL CONÇUS, C'EST PLUTÔT ÇA QUI M'INQUIÈTE!

TU T'EN SORS, NAVIN?

OUI.

JE ME FAMILIARISE AVEC LES COMMANDES.

CE NE SERA PAS COMME CONDUIRE LA MAISON CHARNON.

NON, C'EST TRÈS DIFFÉRENT.

CES ROBOTS ONT ÉTÉ CONÇUS POUR ÊTRE LÉGERS ET RAPIDES, ET ILS SONT CONSTRUITS À MOINDRE COÛT.

ILS SONT TRÈS RÉACTIFS, MAIS ÉGALEMENT TRÈS DANGEREUX.

PRÊT, HAYES?

OUAIP.

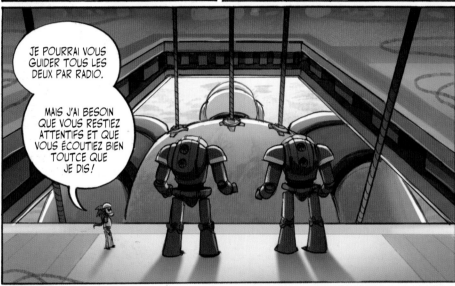

JE POURRAI VOUS GUIDER TOUS LES DEUX PAR RADIO.

MAIS J'AI BESOIN QUE VOUS RESTIEZ ATTENTIFS ET QUE VOUS ÉCOUTIEZ BIEN TOUTCE QUE JE DIS!

VOTRE TRAVAIL CONSISTE À NETTOYER LES RÉCEPTEURS DU SYSTÈME DE COMMUNICATION DU COLOSSUS.

ON N'A PAS DE SYSTÈME DE NETTOYAGE SOPHISTIQUÉ.

NGH!

IL FAUT SIMPLEMENT GLISSER LA MAIN LÀ-DEDANS ET RETIRER LA CIRE ACCUMULÉE.

JOLI TRAVAIL, GAMIN! UN SACRÉ PAQUET DE CIRE!

C'EST DÉGOÛTANT!

COMMENT ÇA PEUT EN ARRIVER LÀ?

14

ATTRAPE TA BOÎTE À OUTILS ET TROUVE L'EXTRACTEUR.

TU VEUX DIRE CE COTON TIGE GÉANT?

C'EST ÇA!

À PRÉSENT, UTILISE-LE POUR EXTRAIRE AUTANT DE CIRE QUE POSSIBLE.

C'EST UN ÉQUIPEMENT TRÈS SENSIBLE, ALORS SOIS PRUDENT.

HM.

HÉ, CHEF, ON VOUS DEMANDE DE VOUS PRÉSENTER SUR LE PONT.

DITES-LEUR QUE JE SUIS OCCUPÉ.

ÇA SEMBLE URGENT.

C'EST VOTRE SŒUR.

EMILY?

NAVIN, REGARDE.

QUE DOIS-JE LUI DIRE, CHEF?

DITES-LUI QUE J'ARRIVE TOUT DE SUITE.

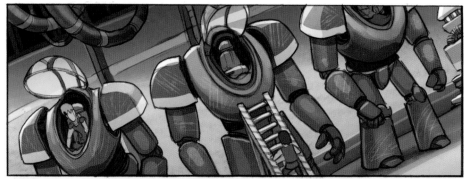

HAYES!

HUNTER!

SORTEZ IMMÉDIATEMENT DE CES ROBOTS!

VOUS AVEZ DES EXPLICATIONS À ME DONNER!

CECI EST UNE VIOLATION DES RÈGLES D'UTILISATION DES VÉHICULES.

VOUS, PLUS QUE TOUT AUTRE, DEVRIEZ LE SAVOIR, MLLE HUNTER.

MAIS CE N'EST PAS LA FAUTE D'ALYS, MONSIEUR.

C'ÉTAIT MON IDÉE.

QUOI?!

JE L'AI FORCÉE À VENIR ICI.

C'EST FAUX.

C'EST DE MA FAUTE!

HM.

NOUS N'AVONS PAS D'AUTRE CHOIX QUE DE VOUS RETIRER VOS PRIVILÈGES D'ACCÈS AUX VÉHICULES, M. HAYES.

NON!

16

POUR ÊTRE HONNÊTE, VOUS ME DÉCEVEZ TOUS LES DEUX.

MAIS NOUS NE POUVONS PAS NOUS PERMETTRE DE PERDRE LA FILLE DU CAPITAINE À CAUSE DE TELLES IMPRUDENCES, N'EST-CE PAS?

VOUS ÊTES BIEN TROP IMPORTANTE, MLLE HUNTER.

MONSIEUR HAYES.

VOUS, PAR CONTRE, VOUS ÊTES UNE SOURCE D'IRRITATION CONSTANTE ET VOUS N'ÊTES PAS INDISPENSABLE.

PLUS VITE NOUS SERONS DÉBARRASSÉS DE VOUS ET DE VOS AMIS ET MIEUX CE SERA.

NOUS N'AVONS PAS BESOIN DE VOTRE AIDE.

TANT QUE VOUS SEREZ SUR CE NAVIRE, J'ENTENDS BIEN VOUS EMPÊCHER DE CRÉER DES PROBLÈMES.

VOUS DEVREZ PORTER UN BRACELET RÉGULATEUR POUR LE RESTE DE VOTRE SÉJOUR.

VOTRE BRAS, S'IL VOUS PLAÎT.

IL VOUS EMPÊCHERA D'UTILISER LES VÉHICULES SUR CE VAISSEAU.

VOUS FAITES UNE GROSSE ERREUR, MONSIEUR.

NON.

L'ERREUR A ÉTÉ FAITE IL Y A BIEN LONGTEMPS, QUAND NOUS AVONS LAISSÉ CES SYMPATHISANTS DES ELFES SE JOINDRE À NOTRE MISSION.

JE TENTE JUSTE DE LA CORRIGER.

LUCIEN A ÉTÉ DÉTRUITE, VIGO.

ET S'IL NE RESTE PERSONNE?

NOUS DEVRIONS PARTIR.

PARTIR?

C'EST UN PIÈGE.

MAIS NOUS AVONS DÉJÀ INSPECTÉ LA VILLE ET NOUS SOMMES PRÊTS À ENTRER.

POURQUOI PENSEZ-VOUS QUE C'EST UN PIÈGE?

PARCE QUE SI J'ÉTAIS CHARGÉ DE DÉTRUIRE VOTRE ARMÉE, C'EST AINSI QUE JE PROCÉDERAIS.

VIGO A RAISON.

ON DEVRAIT FAIRE DEMI-TOUR, CAPITAINE.

NOUS DEVONS Y ALLER ET ACTIVER UNE BALISE DE COMMUNICATION.

SANS ELLE, NOUS AURONS DU MAL À RASSEMBLER NOTRE ARMÉE.

SI VOUS ENTREZ, IL SE PEUT QUE VOUS N'AYEZ PLUS D'ARMÉE DU TOUT.

VIGO, VOUS NE COMPRENEZ PAS À QUEL POINT IL EST DIFFICILE D'OBTENIR UNE OREILLE ATTENTIVE DES GÉNÉRAUX.

VOUS FERIEZ BIEN D'ESSAYER, TRISTAN.

PARCE QUE SINON, VOUS LE REGRETTEREZ POUR LE RESTANT DE VOTRE VIE.

HÉ, PAPA!

ON A VU LUCIEN.

EST-CE QU'ON VA TOUJOURS LÀ-BAS?

OUI.

SIX D'ENTRE VOUS SERONT CHOISIS POUR PILOTER LES COLOSSUS DANS LA VILLE.

PRÉPARE-TOI À FAIRE TON DEVOIR LE MOMENT VENU.

NAVIN,

VIENS ICI ET PARLE AVEC MAMAN AVANT D'Y RETOURNER.

ON PEUT ENCORE COMMUNIQUER AVEC CIELIS.

ÇA POURRAIT ÊTRE LA DERNIÈRE FOIS AVANT UN MOMENT.

BIZZZZZT

EMILY?!

NAVIN!

MES BÉBÉS!

VOUS ALLEZ BIEN?!

ÊTES-VOUS BLESSÉS?

ON VA BIEN, MAMAN.

19

21

J'AI LE PLAISIR DE VOUS ANNONCER QUE LA REMISE DE VOS DIPLÔMES A ÉTÉ AVANCÉE.

SIX PILOTES ONT ÉTÉ CHOISIS POUR UNE MISSION DE RECONNAISSANCE À LUCIEN.

TROIS DE CES PILOTES ONT ÉTÉ CHOISIS PARMI L'ÉQUIPAGE DE L'*ARGUS*, NOTRE DEUXIÈME DIRIGEABLE.

CE QUI LAISSE TROIS PLACES DE PILOTE LIBRES DANS LE *COLOSSUS* AMARRÉ AU *FIREBRAND*, ET ILS SERONT ATTRIBUÉS À...

ROBERT JOSEPH.

TRISHA SPRING.

ET ALYSON HUNTER.

CE N'EST PAS JUSTE.

FÉLICITATIONS À VOUS TOUS.

AU NOM DU FUTUR D'ALLEDIA, J'ESPÈRE QUE NOUS AVONS FAIT LE BON CHOIX.

NAVIN, C'EST TOI QU'ILS DEVAIENT CHOISIR!

NE T'EN FAIS PAS.

IL NE PEUT PAS M'EMPÊCHER DE ME JOINDRE À VOUS.

UNE FOIS QUE J'AURAI TROUVÉ UN MOYEN DE ME DÉBARRASSER DE CE BRACELET, JE VOUS REJOINDRAI AU SOL.

TIENS, PRENDS ÇA.

C'EST QUOI?

UN VIEIL ÉMETTEUR-RÉCEPTEUR. MON PÈRE ET MOI L'UTILISONS POUR PARLER QUAND LE SATLINK TOMBE EN PANNE.

FÉLICITATIONS, HUNTER.

GARDEZ LE CAP, ET VOUS DEVRIEZ POUVOIR PRENDRE LA PLACE DE VOTRE PÈRE EN UN RIEN DE TEMPS.

QUANT À VOUS, HAYES, ÊTRE CÉLÈBRE NE SIGNIFIE PAS QUE VOUS MÉRITEZ UN MEILLEUR TRAITEMENT.

VOUS DEVREZ TRAVAILLER COMME LES AUTRES POUR GAGNER VOTRE PLACE ICI.

ET JE ME FICHE DE CE QUE DIT LA PROPHÉTIE.

VOUS RESTEZ UN FAINÉANT.

23

24

VOUS FAUT-IL AUTRE CHOSE?

NON, MERCI.

SALUT, ALY.

DÉSOLÉ QUE TON COPAIN N'AIT PAS ÉTÉ ACCEPTÉ.

ON DIRAIT BIEN QUE TU ES COINCÉE ICI AVEC MOI.

TU TE TROMPES, PORC-ÉPIC.

JE SUIS L'OFFICIER SUPÉRIEUR SUR CE COLOSSUS.

CE QUI VEUT DIRE QUE C'EST TOI QUI ES COINCÉ ICI AVEC MOI.

AÏE! MON OREILLE!

HÉ, CHEF!

IL FAUT QUE VOUS VOYIEZ ÇA!

CE SONT LES RÉSULTATS SUR LES ÉCHANTILLONS D'AIR QUE VOUS AVEZ PRÉLEVÉS.

JE NE VOIS RIEN.

JUSTEMENT.

J'AI DEMANDÉ AU LABO DE LES RETESTER.

TOUJOURS RIEN.

LE TAUX D'HUMIDITÉ INDIQUE DES CONDITIONS MÉTÉO SANS NUAGES.

MAIS LE CIEL ÉTAIT PLEIN DE NUAGES.

D'APRÈS CE RAPPORT, AUCUN DE CES NUAGES N'ÉTAIT PRÉSENT.

CE QUE VOUS AVEZ VU ÉTAIT UNE ILLUSION.

EXACTEMENT COMME LES NUAGES AUTOUR DE CIELIS...

HÉ!

POURQUOI CES IMBÉCILES NE T'ENVOIENT-ILS PAS EN MISSION?

TU ES LE PLUS QUALIFIÉ.

26

AUCUN DE CES ENFANTS N'A DE VÉRITABLE EXPÉRIENCE SUR LE CHAMP DE BATAILLE.

TU ES LE SEUL À AVOIR CETTE EXPERTISE !

TRELLIS A RAISON.

IL FAUT QUE VOUS PRENIEZ LE CONTRÔLE DE LA SITUATION, COMMANDANT.

ARRÊTEZ DE M'APPELER COMME ÇA.

J'AI ÉCHOUÉ À TOUS LES EXAMENS.

JE NE MÉRITE PAS D'ÊTRE APPELÉ COMMANDANT.

MÉRITER ?

QUI A DIT QU'IL S'AGISSAIT D'UN PRIX À REMPORTER ?

C'EST VOTRE DEVOIR !

FRANCHEMENT, JE SUIS DÉSOLÉ POUR VOUS.

C'EST UNE RESPONSABILITÉ DES PLUS **TERRIBLES.**

J'ESPÈRE QUE VOUS AVEZ BIEN ÉTUDIÉ LE MANUEL DE LARGAGE.

JE VAIS UTILISER LES CODES S.C. POUR NOUS DÉGAGER DE LA TRAPPE.

JE SUIS PRÊTE, CAPITAINE.

LES CODES S.C. SONT QUASIMENT MA LANGUE MATERNELLE !

S. CINQ À S. DEUX-QUATRE, CHECK.

CHECK.

CHECK.

S. TROIS-DEUX-NEUF, CHECK.

CHECK.

CHECK.

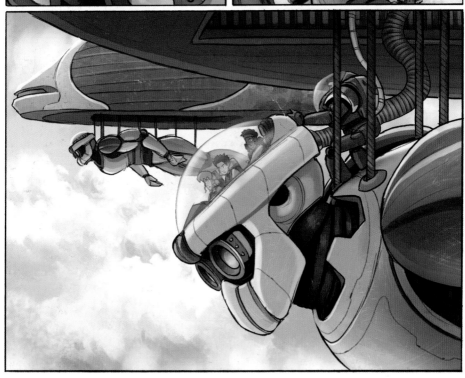

CE DOIT ÊTRE UN GRAND JOUR POUR VOUS, CAPITAINE.

VOTRE FILLE PRENDRA VOTRE PLACE D'ICI PEU DE TEMPS.

JE ME SENTIRAIS MIEUX SI NAVIN ÉTAIT LÀ-BAS AVEC ELLE.

ALY L'AURAIT SOUHAITÉ.

CROYEZ-VOUS AUX HISTOIRES POUR ENFANTS ET AUX PROPHÉTIES, MONSIEUR HUNTER?

JE CROIS QU'ALY A UNE BONNE PERCEPTION DES CHOSES.

ET J'AI TOUJOURS EU RAISON D'AVOIR CONFIANCE EN SON JUGEMENT.

COGSLEY, IL FAUT QUE L'ON PARLE DE ÇA AU CAPITAINE.

S'IL Y A QUELQUE CHOSE DE CACHÉ DANS LES NUAGES, NOUS DEVONS Y RETOURNER POUR ENQUÊTER.

NOUS N'AURONS PAS À Y RETOURNER.

QU'EST-CE QUE TU VEUX DIRE?

POURQUOI DONC?

PARCE QU'IL NOUS SUIVENT.

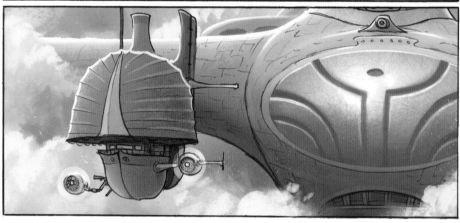

32

RICO!

TIENS,

ENFILE CE PARACHUTE!

OUCH!

ET VOUS?!

POUMF

EN TANT QUE CAPITAINE DU *PAPILLON LUNE*, J'AI FAIT SERMENT DE NE JAMAIS L'ABANDONNER!

PFF.

SI VOUS NE PARTEZ PAS, JE N'IRAI NULLE PART.

HA!

MON FRÈRE!

POUMF!

CECI ÉTANT DIT, NOUS DEVRIONS DÉGAGER D'ICI LE PLUS VITE POSSIBLE...

PARCE QUE J'AI L'IMPRESSION QU'ILS SONT SUR LE POINT D'OUVRIR LE FEU!

FOUM!

VOUS AVEZ VU ÇA?!

ILS SONT... ILS SONT TOUS MORTS!!!

RESTE CONCENTRÉ!

ON VA DEVOIR Y ALLER, CAPITAINE.

ON PEUT FAIRE DESCENDRE LE COLOSSUS MANUELLEMENT AVANT L'IMPACT.

ON EST ENCORE À DIX MINUTES D'UNE ALTITUDE DE LARGAGE SÉCURISÉE, HUNTER.

IL NOUS FAUT ENCORE UN PEU DE TEMPS.

MRMM MRRMM

EXCUSEZ-MOI!

DÉGAGEZ!

TU VAS DANS LA MAUVAISE DIRECTION!!

ON DOIT ÉVACUER!!

HÉ!

PARTEZ TOUS!

DÉGAGEZ!

PROFESSEUR!

NGH!

CELUI QUI N'A PAS FIXÉ CE MEUBLE EN RÉPONDRA!

VOUS ALLEZ BIEN?

LAISSEZ-MOI TRANQUILLE, HAYES.

ÇA IRA.

BIEN.

MIAS VOUS DEVEZ M'ENLEVER CE BRACELET.

JE VAIS AVOIR BESOIN D'ACCÉDER AUX VÉHICULES AFIN D'AIDER LES AUTRES.

LE CODE, MONSIEUR.

BIP! BIP!

CLIC!

ZOUP

PISH!!

HAYES, ATTENDEZ.

BONNE CHANCE.

MERCI, MONSIEUR.

COGSLEY, VA REJOINDRE ENZO ET RICO.

DIS-LEUR DE FILER D'ICI JUSQU'À CE QUE LA ZONE SOIT DÉGAGÉE.

QU'ALLEZ-VOUS FAIRE?

IMPROVISER !

RÉUNIS TOUT LE MONDE À LUCIEN !

JE TE RETROUVERAI EN BAS, COGSLEY.

JE FERAI CE QUE JE PEUX, CHEF.

BONNE CHANCE !

VRRRN

UNITÉ EN MARCHE.

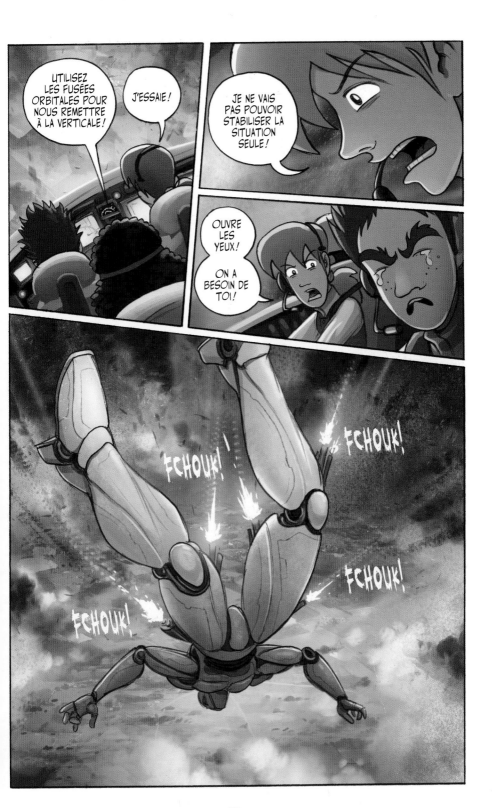

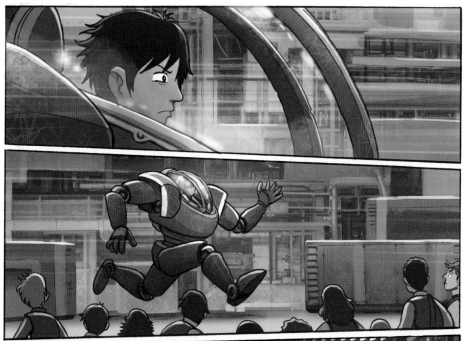

44

47

TU VAS DEVOIR TE LEVER ET MARCHER.

SI TU NE PEUX PAS SUIVRE, ON DEVRA TE LAISSER TE DÉBROUILLER SEUL, COMPRIS?

OUI, M'DAME.

HÉ, QUOI? IL PLEUT! C'EST UNE PLAISANTERIE!

PLIC! PLOC! PLIC!

AUTRE MAUVAISE NOUVELLE...

LE ROBOT N'A PLUS BEAUCOUP DE CARBURANT, ON VA DONC DEVOIR L'ABANDONNER.

ÇA VEUT DIRE QU'ON VA SE RETROUVER SANS RIEN.

SANS ARMES.

SANS OUTILS.

AU MOINS, IL NOUS RESTE LES RATIONS DE SURVIE.

ON A DES PROVISIONS POUR QUELQUES JOURS SEULEMENT, IL NE FAUT DONC PAS QU'ON TRAÎNE.

BIEN... IL EST TEMPS DE SYNCHRONISER NOS MONTRES.

BIP!

TOUT IRA BIEN POUR TON PÈRE.

JE TE LE PROMETS.

COMMENT PEUX-TU PROMETTRE UNE TELLE CHOSE?

PARCE QU'IL EST AVEC EMILY.

ON NE PEUT PAS LAISSER MAX MONTER À BORD DE CE VAISSEAU, VIGO.

IL NE LE FERA PAS.

IL SERAIT BEAUCOUP TROP VULNÉRABLE.

MONSIEUR, LA CAPSULE NE CONTIENT AUCUN EXPLOSIF.

NOTRE SCAN INDIQUE QU'ELLE TRANSPORTE UN TOUT PETIT... HOMME.

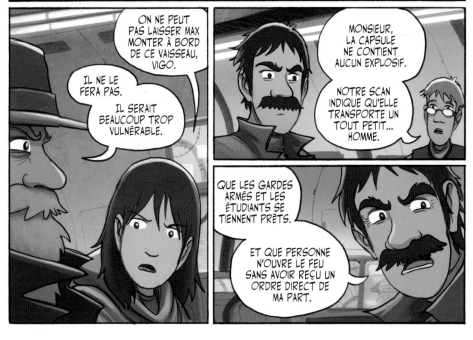

QUE LES GARDES ARMÉS ET LES ÉTUDIANTS SE TIENNENT PRÊTS.

ET QUE PERSONNE N'OUVRE LE FEU SANS AVOIR REÇU UN ORDRE DIRECT DE MA PART.

SI MAX VOULAIT DÉTRUIRE CE VAISSEAU, IL L'AURAIT DÉJÀ FAIT.

S'IL NE CHERCHE PAS À NOUS TUER, ALORS QUE VEUT-IL ?

NOUS.

BONJOUR, GARDIENS DE LA PIERRE.

JE SUIS À VOUS DANS UN INSTANT.

MON MAÎTRE VOUS PRÉSENTE SES CONDOLÉANCES POUR TOUT DOMMAGE COLLATÉRAL QU'IL AURAIT PU CAUSER.

IL INVITE ÉGALEMENT TOUS LES GARDIENS DE LA PIERRE À LE REJOINDRE SUR SON VAISSEAU.

IL SOUHAITE VOUS PARLER À TOUS EN PRIVÉ.

SI VOUS NE VOUS CONFORMEZ PAS À SES DÉSIRS, IL DÉTRUIRA TOUTES LES PERSONNES PRÉSENTES SUR CE VAISSEAU.

IL SEMBLE QUE NOUS N'AYONS PAS VRAIMENT LE CHOIX.

NON.

JE NE PENSE PAS.

JE VOUS EN PRIE.

APRÈS VOUS.

DÈS QUE NOUS SORTIRONS DU VAISSEAU, FAITES ÉVACUER TOUT LE MONDE.

FAITES-LES MONTER À BORD DU *PAPILLON LUNE* ET FILEZ.

C'EST UN HONNEUR DE VOUS RENCONTRER, EMILY HAYES !

VOUS NE SEMBLEZ PAS AVOIR CONFIANCE EN VOS POUVOIRS DE NÉGOCIATION.

NOUS NÉGOCIONS AVEC QUELQU'UN QUI NE FERA PAS DE COMPROMIS POUR OBTENIR CE QU'IL VEUT.

MIEUX VAUT NE PAS PRENDRE DE RISQUES.

BIENVENUE, MAÎTRE TRELLIS.

C'EST BON DE VOUS REVOIR.

VIGO LIGHT.

QUEL HONNEUR ! JE SUIS UN GRAND FAN.

EXCUSEZ-MOI SI JE SEMBLE NERVEUX.

VOIR LE NOUVEAU CONSEIL DES GARDIENS DE MES PROPRES YEUX !

IL N'EN FAUT PAS PLUS POUR ME FAIRE VERSER UNE LARME.

58

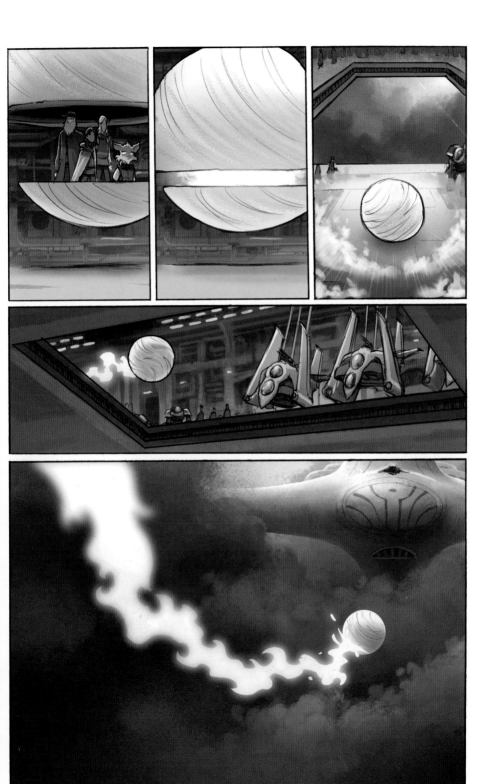

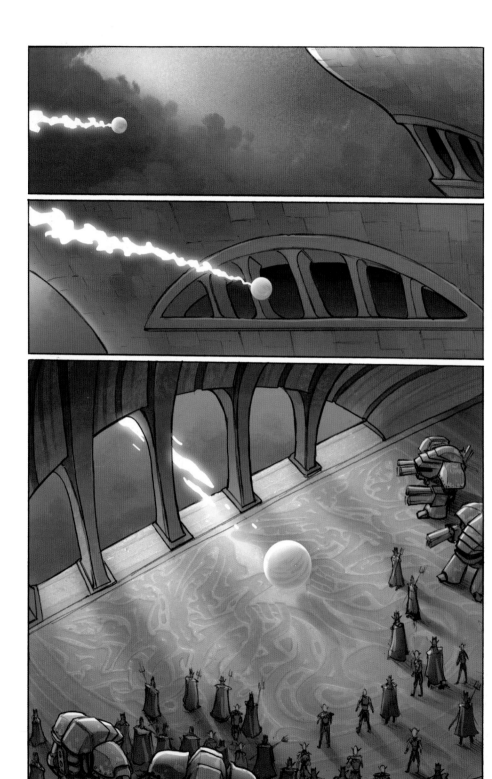

C'EST LE PRINCE!

C'EST UN TRAÎTRE!

PENDEZ-LE!!

IL SEMBLE QUE TU AIES ENCORE DES ADMIRATEURS.

FAITES PLACE À NOS PRESTIGIEUX INVITÉS...

LE CONSEIL DES GARDIENS!

KEUF KEUF

QUELQUE CHOSE NE TOURNE PAS ROND ICI.

TON PEUPLE.

ILS ONT L'AIR MALADE.

L'ARMÉE ELFE EST EN ÉTAT D'AGITATION DEPUIS LE DÉCÈS DE MON PÈRE.

VOILÀ À QUOI ÇA RESSEMBLE VU DE L'INTÉRIEUR.

CETTE SALLE EST CONSTITUÉE D'UN MATÉRIAU QUI AFFAIBLIT LE POUVOIR DE LA PIERRE.

SI NOUS NOUS AFFRONTONS, NOUS DEVRONS ENGAGER UN COMBAT À MAINS NUES.

CE SERAIT UN COMBAT DE PURE FORCE PHYSIQUE.

ET JE SUIS LE SEUL À DISPOSER D'UN GÉANT DES MONTAGNES.

AVEC OU SANS MAGIE...

NOUS NE PARTIRONS PAS D'ICI SANS NOUS BATTRE.

JE NE VOUS AI PAS FAIT VENIR ICI POUR COMBATTRE.

JE VOUS AI FAIT VENIR ICI AFIN QUE NOUS PUISSIONS PARLER EN PRIVÉ.

VLAN

CES MURS NE LIMITENT PAS SEULEMENT NOTRE CAPACITÉ À UTILISER LA MAGIE, MAIS ÉGALEMENT LA CAPACITÉ DES PIERRES À INTERAGIR.

CE QUI SIGNIFIE QUE TANT QUE NOUS SOMMES ICI, LA VOIX NE PEUT PAS NOUS ENTENDRE.

MAIS TU ES UN AGENT DE LA VOIX.

POURQUOI DEVRIONS-NOUS T'ÉCOUTER ?

JE SUIS UN AGENT DE LA VOIX TOUT AUTANT QUE TOI, EMILY.

TOI ET MOI AVONS ACCEPTÉ SON AIDE, ET LA VOIX S'ATTEND À ÊTRE AIDÉE EN RETOUR.

NOUS SOMMES GOUVERNÉS PAR LA MÊME MALÉDICTION.

QU'EST-CE QUE TU ATTENDS DE MOI, MAX?

TU SAIS QUE JE NE PEUX PLUS TE FAIRE CONFIANCE.

TOUT CE QUE JE VEUX, C'EST QUE TU M'AIDES À NOUS DÉBARRASSER DE NOTRE MALÉDICTION.

SI ON S'ENTRAIDE, JE SUIS SÛR QU'ON PEUT PARVENIR À SE LIBÉRER.

EMILY, TU N'ES PAS MAUDITE COMME IL L'EST.

NE L'ÉCOUTE PAS.

JE SAIS QUE TU NE ME FAIS PLUS CONFIANCE ET QUE JE NE MÉRITE PAS TON ATTENTION.

MAIS JE CONNAIS QUELQU'UN EN QUI TU AS CONFIANCE.

ZNNNA

SILAS !

TON ARRIÈRE-GRAND-PÈRE A ENREGISTRÉ ÇA AVANT QUE LES ELFES NE COMMENCENT LA GUERRE.

LE CONSEIL L'A TENU CACHÉ PENDANT DES ANNÉES ET TU COMPRENDRAS VITE POURQUOI.

COMME J'ÉTAIS SON MEILLEUR ÉLÈVE, SILAS M'A FAIT CONFIANCE ET M'A CONFIÉ CE MESSAGE.

VIGO, TU ÉTAIS TROP JEUNE POUR COMPRENDRE ÇA, À L'ÉPOQUE.

MAIS SILAS N'A PAS ÉTÉ EXILÉ POUR AVOIR CRITIQUÉ LE CONSEIL.

SILAS A ÉTÉ EXILÉ PARCE QU'IL CONNAISSAIT LA VÉRITÉ.

LA VÉRITÉ?

À PRÉSENT, REGARDEZ ATTENTIVEMENT. TOUS LES AUTRES ENREGISTREMENTS DE CES EXPÉRIENCES ONT ÉTÉ DÉTRUITS.

FSSHK!

QUE MET-IL DANS LA CAGE?

SCRII!

72

CETTE CRÉATURE EST CE QUE SILAS APPELAIT UN « ÉCLAIREUR NOIR ».

IL AGIT COMME UN PARASITE.

UNE FOIS QU'ELLE EST ENTRÉE DANS LE SYSTÈME NERVEUX DE SON HÔTE, ELLE PREND LES COMMANDES DE SON ESPRIT ET DE SON CORPS.

UNE FOIS QU'ELLE DISPOSE DU CONTRÔLE TOTAL...

ELLE COMMENCE À FAIRE DES RAVAGES CHEZ LES AUTRES.

NOUS N'AVONS JAMAIS PLEINEMENT SAISI LE BUT DE SON COMPORTEMENT.

SSSS!

SSS!

TU TE SOUVIENS, EMILY?

TU AS DÉJÀ VU L'UNE DE CES CRÉATURES.

SYBRIAN.

C'ÉTAIT LE NOM DE L'ÉCLAIREUR QUI AVAIT PRIS LE CONTRÔLE DE TRELLIS.

SON NOM ÉTAIT SYBRIAN.

ET TU AS SAUVÉ TRELLIS DE SYBRIAN.

TU L'AS GUÉRI DE SA MALÉDICTION.

J'ESSAYAIS SEULEMENT DE SAUVER MA MÈRE.

SYBRIAN ÉTAIT SUR MON CHEMIN.

MAIS TU AS VAINCU SYBRIAN TOUT EN GARDANT TRELLIS EN VIE.

N'EST-CE PAS?

OUI.

ALORS TU ES LA SEULE À Y ÊTRE JAMAIS PARVENUE AVEC SUCCÈS.

EN SOIGNANT TRELLIS...

TU LUI AS SAUVÉ LA VIE.

ET JE PENSE QUE TU PEUX FAIRE LA MÊME CHOSE POUR MOI.

NE SOIS PAS STUPIDE, MAX.

CES JEUNES GARDIENS DE LA PIERRE NE PARTAGENT PAS LES MÊMES PROBLÈMES QUE NOUS.

JE DÉTESTE ÊTRE CELUI QUI DOIT TE DIRE CELA, MON VIEIL AMI...

MAIS IL N'Y A PAS DE REMÈDE POUR TOI.

TOUJOURS PESSIMISTE, VIGO.

ET TOUJOURS À TORT.

NOUS N'AURONS PAS BEAUCOUP DE TEMPS AVANT QUE LA VOIX NE DÉCOUVRE CE QUE NOUS FAISONS.

NOUS DEVRONS NOUS DÉPLACER TRÈS RAPIDEMENT.

OÙ NOUS EMMÈNES-TU, MAX ?

JE NOUS EMMÈNE DANS LES LIMBES, LÀ OÙ OPÈRE LA VOIX.

SI NOUS VOULONS LA DÉTRUIRE, NOUS DEVONS L'AFFRONTER LÀ OÙ ELLE VIT...

DANS NOS MÉMOIRES.

CHRONOS, S'IL S'AGIT DE NOTRE DERNIÈRE CHEVAUCHÉE...

FAISONS EN SORTE QU'ELLE SOIT MÉMORABLE.

CE FUT UN HONNEUR DE VOUS SERVIR, MESSIRE.

ENTENDU.

LA VOIX VA UTILISER VOS PEURS CONTRE NOUS. AUSSI, VOUS DEVREZ RESTER LUCIDES.

EMILY, TU ES LA PLUS JEUNE, CELA S'APPLIQUE DONC PRINCIPALEMENT À TOI.

JE PEUX FAIRE FACE.

SPLASH!

ALY, VÉRIFIE LE TRAQUEUR ET REGARDE SI ON SE RAPPROCHE DE LA BALISE.

SI ON PEUT TROUVER LE SIGNAL, ON TROUVERA LE CHEMIN QUI Y MÈNE.

HÉ, ATTENDS, CHEF.

C'EST MOI QUE TU DEVRAIS ÉCOUTER.

ON VA ARRÊTER DE T'ÉCOUTER, PARCE QUE, AUTANT QUE JE ME SOUVIENNE, TU N'AVAIS PAS ÉTÉ CHOISI COMME PILOTE CONTRAIREMENT À NOUS AUTRES.

JE NE VOIS AUCUNE TRACE DE LA BALISE SUR LE DISPOSITIF.

RETIRE TA MAIN DE MON ÉPAULE.

IL DOIT ÊTRE CASSÉ.

NON, IL MARCHE TRÈS BIEN.

HÉ, ROBERT!

OÙ VAS-TU?

AU CAS OÙ VOUS NE L'AURIEZ PAS REMARQUÉ, CETTE MISSION EST UN ÉCHEC!

JE VAIS ME METTRE À L'ABRI DE CETTE FICHUE PLUIE.

NE T'ÉLOIGNE PAS TROP!

ON PEUT
S'ABRITER ICI.

TU ES
SOURD OU
QUOI?!

ON AGIT
TOUS ENSEMBLE,
EN ÉQUIPE.

SI TU LÂCHES UN
SIMPLE PET SANS MA
PERMISSION, JE
TE DÉTRUIS.

JE VOULAIS
JUSTE M'ABRITER
DE LA PLUIE...

M'DAME..

LUCIEN ÉTAIT
AUTREFOIS LA
PLUS BELLE VILLE
D'ALLEDIA.

JE NE LA
RECONNAIS MÊME
PLUS.

AAAH!

ROB!

TIENS BON!

ON ARRIVE!

ROB?

VA-T'EN, ALY.

TU ARRIVES TROP TARD.

ON NE TE LAISSERA PAS ICI.

DANS CE CAS, TU FERAIS UNE GRAVE ERREUR.

NE T'APPROCHE PAS DE LUI!

POURQUOI NE M'AS-TU PAS ÉCOUTÉ?

JE T'AVAIS DIT DE PARTIR!!

IL FAUT QU'ON FICHE LE CAMP D'ICI IMMÉDIATEMENT !

QU'EST-CE QUI LUI ARRIVE ?!

ARGH!!

NE TE RETOURNE PAS, HUNTER !

C'EST ÇA, FUYEZ.

ON VERRA JUSQU'OÙ VOUS POURREZ ALLER.

OÙ EST ROB ?

QUELQUE CHOSE L'A ATTRAPÉ.

POURQUOI ON NE L'AIDE PAS ?

IL EST TROP TARD !

ALLEZ, BOUGE !

COMMENT SAVAIS-TU, TRISH ?

COMMENT SAVAIS-TU CE QU'IL FALLAIT FAIRE ?

UN COUP DE CHANCE.

ILS ARRIVENT !

HÉ!

SI VOUS VOULEZ PRENDRE MES AMIS...

ALY!

VOUS DEVREZ D'ABORD ME PASSER DESSUS.

SI TU Y VAS, ON Y VA TOUS.

SHRK! CLINK! CLINK!

VOUS M'AVEZ ENTENDUE?

EST-CE QUE VOUS TRAVAILLEZ POUR LE ROI ELFE?

SSSS 'SSSSS

LE ROI ELFE EST MORT.

OUAH!

TENEZ, ATTRAPEZ.

QU'EST-CE QUE C'EST?

JUS DE POISSON.

BDOUMP!

FROTTEZ VOS VÊTEMENTS AVEC.

SHRK!

SNIF SNIF

EN TANT QU'OFFICIERS DE LA GARDE DE CIELIS, NOUS N'AVONS PAS D'ORDRES À RECEVOIR DE VOUS.

LA GARDE DE CIELIS, HEIN?

VOTRE AUTORITÉ A PRIS FIN QUAND VOUS ÊTES ENTRÉS DANS LA VILLE.

ALORS, NE ME MENACEZ PAS.

C'EST MA VILLE.

POURQUOI NOUS AIDEZ-VOUS?

DIFFICILE À EXPLIQUER.

UNE INTUITION.

SUIVEZ-MOI AVANT QUE JE NE REGRETTE CETTE DÉCISION.

ET SI VOUS VOULEZ VIVRE, UTILISEZ CE JUS DE POISSON.

C'EST DANS CE BÂTIMENT QUE NOUS DEVONS ALLER.

QUELLES SONT CES CHOSES?

ET POURQUOI Y EN A-T-IL AUTANT?

ON LES APPELLE JUSTE DES OMBRES.

ET CES OMBRES SONT LÀ...

POUR MOI.

JE N'AI PAS DÛ ÊTRE TRÈS DISCRÈTE QUAND JE SUIS REMONTÉE À LE SURFACE.

C'ÉTAIT IMPRUDENT DE MA PART.

ON VA PRENDRE UN AUTRE CHEMIN.

IL Y A UNE ENTRÉE PAR LES ÉGOÛTS.

CRIIC...CRIIC!

QUATRE INTRÉPIDES EXPLORATEURS REGARDAIENT DANS L'ABÎME EN CONTRE-BAS.

COMME DANS LES VIEILLES HISTOIRES...

HISTOIRES?

UNE VIEILLE HISTOIRE POUR S'ENDORMIR QUE NOS PARENTS NOUS RACONTAIENT QUAND NOUS ÉTIONS PETITS.

ÇA VIENT JUSTE DE ME REVENIR.

BIEN, INSPIREZ UN GRAND COUP ET SUIVEZ-MOI.

HÉ!

ATTENDS!

SSSSHH

JE NE SAIS PAS, NAVIN.

PRENDS MA MAIN.

TOUT IRA BIEN.

J'INTERROMPS QUELQUE CHOSE?

BON, ON Y VA ENSEMBLE, À TROIS.

UN...

DEUX...

TROIS!

PRÉPAREZ-VOUS, JE VOUS PRIE, À LA SÉQUENCE DE DÉCONTAMINATION.

OÙ SOMMES-NOUS?

ON EST DANS UNE SALLE TRANSPORE.

PISH!

PISH!

PISH!

PISH!

PISH!

PISSH!

PISSH!

PISSH!

ON A ÉTÉ TÉLÉPORTÉS ICI.

RECHERCHE DE POUX ACTIVÉE...

SKSH

SKSH...

HEIN?

RECHERCHE DE POUX TERMINÉE.

KEUF!
KEUF!

EXCUSEZ MOI POUR L'ANALYSE.

MAIS IL FAUT VRAIMENT ÊTRE TRÈS PRUDENT AVEC LES BESTIOLES QU'ON PEUT RAMENER ICI.

VOUS M'EXCUSEREZ ÉGALEMENT DE NE PAS M'ÊTRE PRÉSENTÉE PLUS TÔT.

JE M'APPELLE RIVA.

IL Y A QUELQUES PERSONNES QUE JE VOUDRAIS VOUS PRÉSENTER.

JE PENSE QUE VOUS DEVRIEZ ALLER LES VOIR.

GÉNÉRAL PIL,

VOUS AVEZ L'AIR INQUIET. QUELQUE CHOSE NE VA PAS?

J'ESPÈRE QUE VOUS AVEZ UNE BONNE EXPLICATION À ME FOURNIR.

POURQUOI N'AI-JE PAS ÉTÉ INFORMÉ DE VOTRE DÉCISION DE FAIRE ENTRER CES COMBATANTS ENNEMIS?

DOIS-JE VOUS RAPPELER QUE NOUS SOMMES TOUJOURS EN GUERRE?

VOUS POURRIEZ COMPROMETTRE LA SÉCURITÉ DE TOUTE LA VILLE.

NOUS AVONS EMPRUNTÉ UN PASSAGE GARDÉ.

IL CHANGERA À L'AUBE.

C'EST LE SECOND TRANSPORE DE GÂCHÉ CETTE SEMAINE!

S'ILS NE POUSSAIENT PAS VRAIMENT SUR LES ARBRES, VOUS SAVEZ CE QUE JE DIRAIS!

CONTINUEZ COMME ÇA ET VOUS NE SEREZ PAS RÉÉLUE MAIRE À L'AUTOMNE!

MERCI, PIL.

NE FAITES PAS ATTENTION À PIL, IL AIME DIRE CE QU'IL PENSE.

C'EST UNE DES RAISONS QUI EN FONT MON MEILLEUR CONSEILLER.

VOUS ÊTES MAIRE?

NE VOUS L'AVAIS-JE PAS DÉJÀ DIT?

C'EST MA VILLE.

RENDEZ-VOUS DE L'AUTRE CÔTÉ DE LA CRÊTE ET DESCENDEZ VERS LES QUAIS.

NOUS PRENDRONS UN BATEAU POUR LA VILLE.

C'EST DONC LÀ QUE LES GENS DE LUCIEN SE SONT RÉFUGIÉS.

CELA VOUDRAIT DIRE QUE RIVA EST MAIRE DE LUCIEN?

TOUT À FAIT!

CROYEZ-MOI QUAND JE DIS QUE CE N'EST PAS AUSSI SÉDUISANT QUE ÇA EN À L'AIR.

VENEZ, JE VAIS VOUS FAIRE VISITER LA VILLE.

EXCUSEZ MA QUESTION, MAIS... COMMENT ÊTES-VOUS DEVENUE MAIRE?

TU VEUX DIRE ALORS QUE JE SUIS UNE ELFE?

C'EST MON PÈRE QUI A BÂTI CE REFUGE SOUTERRAIN IL Y A BIEN LONGTEMPS.

QUAND LUCIEN A ÉTÉ ENVAHIE PAR LES OMBRES, LES CITOYENS ONT TROUVÉ REFUGE ICI.

MA FAMILLE EST DONC DEVENUE INVOLONTAIREMENT LA GARDIENNE DE CETTE VILLE.

C'EST INCROYABLE.

VOTRE FAMILLE A PROBABLEMENT SAUVÉ DES MILLIERS DE VIES!

LUCIEN AURAIT DISPARU SANS VOTRE AIDE.

POURQUOI VOTRE PÈRE AVAIT-IL COMMENCÉ À CONSTRUIRE CET ENDROIT?

HEU,

EN FAIT, IL ÉTAIT FOU.

AUTREFOIS, CIELIS ET LUCIEN FORMAIENT UNE SEULE VILLE, MAIS CIELIS A FAIT SÉCESSION QUAND BEAUCOUP « D'ÉTRANGERS » S'Y SONT INSTALLÉS.

MÊME ICI, DES GENS COMME NOUS ÉTAIENT EXPULSÉS ET BEAUCOUP SONT PARTIS.

DISONS QUE MON PÈRE ÉTAIT TRÈS TÊTU. IL N'AIMAIT PAS QU'ON LUI DISE QUOI FAIRE NI OÙ ALLER.

IL A DONC CONSTRUIT ÇA.

C'EST INOUÏ.

EXCUSEZ-MOI.

OU FOU?

MLLE RIVA?

ON VEUT SE JOINDRE À VOUS ET COMBATTRE LES OMBRES.

J'AI MÊME MA PROPRE UNITÉ.

COMBIEN DE FOIS TE L'AI-JE DIT, PATRICK?

ON NE VA PAS COMBATTRE LES OMBRES.

MAIS MON PÈRE DIT QUE SI ON NE PREND PAS POSITION, ON LE REGRETTERA TOUS.

VOUS ÊTES LÀ POUR NOUS AIDER À COMBATTRE LES OMBRES?

JE, HEU, JE NE SAIS PAS.

ÉCOUTEZ, MONSIEUR, SOIT C'EST OUI, SOIT C'EST NON.

MON PÈRE DIT QUE VOUS N'IREZ JAMAIS NULLE PART DANS LA VIE SI VOUS NE SAVEZ PAS CE QUE VOUS VOULEZ.

EH BIEN, JE SUIS ICI POUR AIDER.

BIEN C'EST MIEUX COMME ÇA.

JE M'APPELLE PATRICK.

JE SUIS PEUT-ÊTRE PETIT POUR LE MOMENT, MAIS JE VAIS FAIRE DE GRANDES CHOSES.

SI VOUS AVEZ BESOIN DE QUOI QUE CE SOIT, FAITES-LE-MOI SAVOIR.

MERCI.

VENEZ, ALLONS ACHETER UNE GLACE.

CE GAMIN EST VRAIMENT AMBITIEUX.

NOUS ALLONS AVOIR BESOIN QU'ILS DEVIENNENT TOUS AUSSI FORTS QUE LUI...

PARCE QUE LA VIE ICI NE DURERA PAS.

CE N'EST QU'UNE QUESTION DE TEMPS AVANT QUE L'ON DOIVE QUITTER CET ENDROIT.

ON VA SE RETROUVER À COURT DE RESSOURCES, SI LES OMBRES NE NOUS ATTRAPENT PAS AVANT.

SANS L'AIDE DE LUCIEN AU-DESSUS, ON NE SURVIVRA PAS ICI.

ON FOUILLE ENCORE LES RUINES POUR TROUVER DE LA NOURRITURE ET DES PROVISIONS, MAIS C'EST INSUFFISANT.

OÙ IREZ-VOUS?

C'EST LA GRANDE QUESTION, HEIN?

ON A ÉGALEMENT BEAUCOUP DE GENS À DÉPLACER.

ET JE NE PARTIRAI QUE SI NOUS EMMENONS TOUT LE MONDE.

TOC TOC

BALAN, J'AI L'IMPRESSION QUE CE SONT DES AMIS À TOI.

HA! HA!

109

BALAN!

NAVIN!

C'EST BON DE VOUS VOIR, COMMANDANT!

COMMANDANT?

CE SONT MES AMIES, ALY ET TRISHA.

ENCHANTÉ.

OÙ EST VOTRE FAMILLE?

EMILY EST EN DIFFICULTÉ.

ELLE VA AVOIR BESOIN DE NOTRE AIDE.

ET LEON?

LEON EST EN SÉCURITÉ SUR CIELIS. IL EST AVEC MA MÈRE ET MISKIT.

COMMENT DIABLE CE RASCAL A-T-IL TROUVÉ SON CHEMIN VERS LA CITÉ VOLANTE?

DOCTEUR WESTON!

ÇA VA SE COMPLIQUER, NAVIN.

J'ESPÈRE QUE VOUS ÊTES PRÊT.

C'EST BON DE VOUS REVOIR, MONSIEUR.

OUI.

ON EST HEUREUX DE VOUS RETROUVER.

OH, OUI.

OH, OUI.

L'ARMÉE DES RÉSISTANTS...

ILS SONT TOUS LÀ?

QUELQUES BRAVES ÂMES N'ONT PAS SURVÉCU AU DUR VOYAGE QUE NOUS AVONS FAIT POUR ARRIVER JUSQU'ICI.

MAIS CEUX QUI ONT SURVÉCU SONT TOUS LÀ.

LUCIEN EST DEVENUE NOTRE NOUVELLE DEMEURE DEPUIS DES MOIS.

ET NOUS DEVRONS BIENTÔT TOUS EN TROUVER UNE NOUVELLE.

NOUS AURONS DE LA CHANCE SI NOUS SURVIVONS UN MOIS DE PLUS ICI AVANT D'ÊTRE À COURT DE RESSOURCES.

NOUS N'AVONS PAS LE CHOIX, NOUS DEVONS PARTIR.

CECI EST UNE CARTE DU MÉTRO SOUTERRAIN.

COMME VOUS POUVEZ LE VOIR, IL Y A UN TUNNEL INACHEVÉ QUI CONDUIT AU CRATÈRE DE CIELIS.

CRATÈRE DE CIELIS

EN

AUCUN MÉTRO NE PEUT NOUS Y CONDUIRE, MAIS NOUS POUVONS FAIRE LE PÉRIPLE À PIED.

LE TUNNEL NOUS MÈNERA JUSTE À L'EXTÉRIEUR DE LUCIEN.

LE PROBLÈME EST QUE NOUS NE POURRONS PAS DISTANCER LES OMBRES EN TERRAIN DÉGAGÉ.

C'EST POUR CELA QUE J'AI ÉVITÉ DE DONNER L'ORDRE D'ÉVACUATION. JE NE PARVIENS PAS À ACCEPTER LES PERTES QUE CELA ENTRAÎNERAIT.

MAIS SI NOUS NE FAISONS PAS CE SACRIFICE, NOUS SUBIRONS DES PERTES ENCORE PLUS IMPORTANTES.

SAUF VOTRE RESPECT, VOUS CONNAISSEZ MON POINT DE VUE SUR CETTE QUESTION.

LE TEMPS PRESSE.

QUE PROPOSEZ-VOUS DE FAIRE...

COMMANDANT?

VOUS ME DEMANDEZ À MOI?!

JE NE CONNAIS PAS ASSEZ BIEN LA SITUATION.

ET CERTAINS DIRONT QUE J'EN SAIS BEAUCOUP TROP.

ET QUE MES SENTIMENTS BROUILLENT MON JUGEMENT.

JE NE SAIS PAS POURQUOI VOUS VOUS ÊTES TOUS MIS EN TÊTE QUE JE SUIS UNE SORTE DE COMMANDANT.

JE N'AI MÊME PAS RÉUSSI L'EXAMEN DE PILOTE DE COLOSSUS.

ÇA ME FAIT PENSER QUE J'AI UN CADEAU POUR VOUS.

UN CADEAU?

DE LA PART D'UN AMI.

UNE PLANTE?

UNE POUSSE D'ARBRE.

IL FAUT QUE VOUS SACHIEZ QUE JE NE CROIS PAS NON PLUS À CES HISTOIRES DE PROPHÉTIES.

MAIS MES PROCHES AMIS ET MENTORS, OUI. J'AI DONC CHOISI DE GARDER L'ESPRIT OUVERT.

L'UN DE CES AMIS ÉTAIT UN ARBRE MILLÉNAIRE RÉPONDANT AU NOM DE PÈRE CHARLES.

C'ÉTAIT UN PROCHE DE LA FAMILLE DEPUIS PLUSIEURS GÉNÉRATIONS.

IL RACONTAIT DE FORMIDABLES HISTOIRES SUR MES ANCÊTRES, LES HÉROS COMME LES MÉCHANTS...

J'ÉTAIS FASCINÉE.

JE PENSAIS QUE CES JOURS NE FINIRAIENT JAMAIS.

MAIS ILS ONT VITE PRIS FIN QUAND LE ROI ELFE A DÉCLARÉ LA GUERRE.

QUAND LUCIEN EST TOMBÉE AUX MAINS DES OMBRES, PÈRE CHARLES EST TOMBÉ GRAVEMENT MALADE.

DURANT SES DERNIERS JOURS, IL NE PARLAIT PLUS QUE DE L'AVENIR.

IL DISAIT QUE L'ARRIVÉE D'UN JEUNE CHEF SERAIT LE SIGNAL D'UNE RÉVOLUTION QUI POURRAIT SAUVER ALLEDIA.

SES DERNIERS MOTS FURENT ÉNIGMATIQUES, MAIS JE NE LES OUBLIERAI JAMAIS.

LE CIEL COMMENCERA À TOMBER ET UN SOLEIL SE LÈVERA DE NOUVEAU.

APPRENDS À BIEN CONNAÎTRE LE SOLEIL.

JE N'AI JAMAIS VRAIMENT COMPRIS CE QU'IL ENTENDAIT PAR CELA.

LE LENDEMAIN MATIN, PÈRE CHARLES MOURUT PAISIBLEMENT DANS SON SOMMEIL.

J'AI TROUVÉ UNE PETITE POUSSE D'ARBRE PRÈS DE SES RACINES.

J'AI DÉCIDÉ DE LA RAPPORTER À LUCIEN.

JE N'ÉTAIS PAS CERTAINE QU'ELLE ÉTAIT LIÉE À PÈRE CHARLES, NI QU'ELLE DEVIENDRAIT UN ARBRE MILLÉNAIRE.

MAIS J'AI RESSENTI LE BESOIN DE VOIR LE JEUNE ARBRE SURVIVRE.

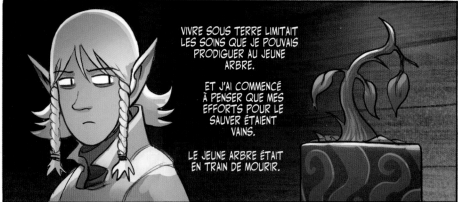

VIVRE SOUS TERRE LIMITAIT LES SOINS QUE JE POUVAIS PRODIGUER AU JEUNE ARBRE.

ET J'AI COMMENCÉ À PENSER QUE MES EFFORTS POUR LE SAUVER ÉTAIENT VAINS.

LE JEUNE ARBRE ÉTAIT EN TRAIN DE MOURIR.

UNE SEMAINE PLUS TARD, BALAN, LE DOCTEUR WESTON ET LES DERNIERS RÉSISTANTS ARRIVÈRENT PAR LE MÉTRO.

MALGRÉ LEUR APPRÉHENSION INITIALE, ILS ACCEPTÈRENT LA NOURRITURE ET LE GÎTE QUE JE LEUR AI OFFERTS.

ALORS QUE JE LES SOIGNAIS, JE LES AI ENTENDUS PARLER D'UN JEUNE CHEF QUI LES MÈNERAIT...

ILS PARLAIENT D'UNE RÉVOLUTION SEMBLABLE À CELLE DONT PARLAIT LE PÈRE CHARLES.

CE MATIN-LÀ, JE ME SUIS RÉVEILLÉE POUR DÉCOUVRIR QUE LA POUSSE AVAIT FLEURI POUR LA PREMIÈRE FOIS.

LE JEUNE ARBRE ÉTAIT VIVANT.

J'AI PRIS ÇA COMME UN SIGNE D'ESPOIR ET J'AI DÉCIDÉ DE PLANTER LE JEUNE ARBRE DANS UN ENDROIT SÛR À LA SURFACE.

JE VOULAIS QU'IL SURVIVE ET JE SAVAIS QU'IL NE TIENDRAIT PAS LONGTEMPS SOUS TERRE.

JE L'AI DONC EMPORTÉ AU SEUL ENDROIT AUQUEL JE POUVAIS PENSER...

IL FAUT QUE VOUS SACHIEZ QUE JE NE CROIS PAS AUX PROPHÉTIES, MIRACLES OU AUTRES PRÉMONITIONS.

MAIS SI VOTRE PRÉSENCE SUFFIT À DONNER DE L'ESPOIR AUX MIENS ET NOUS AIDE À LES AMENER À LA SURFACE, JE VOUS APPELLERAI COMME VOUS LE SOUHAITEZ.

VOUS POUVEZ TOUT SIMPLEMENT M'APPELER NAVIN.

ET SI ÇA PEUT VOUS RASSURER, JE NE CROIS PAS À CES TRUCS NON PLUS.

EH.

EH BIEN, NAVIN, JE PENSE QUE NOUS ALLONS BIEN NOUS ENTENDRE.

RIVA!

VENEZ VOIR ÇA!

LES OMBRES ONT FAIT UNE BRÈCHE DANS LA PORTE EST.

QUAND ÇA?

IL Y A QUINZE MINUTES.

ÇA FAIT TROP LONGTEMPS.

IL FAUT QU'ON SOIT ALERTÉS PLUS TÔT.

C'EST NOTRE FAUTE.

ELLES NOUS ONT SUIVIS À L'INTÉRIEUR!

NON.

VOUS AMENER ICI ÉTAIT MA DÉCISION.

CLING

CLING!

JE N'EN VOIS QUE TROIS, RIVA.

C'EST BIEN ASSEZ!

LÀ OÙ IL Y EN A UNE, ON TROUVERA UN ESSAIM.

ON NE PEUT PAS PARTIR COMME ÇA.

ON DOIT TROUVER ET ACTIVER LA BALISE DE COMMUNICATION.

C'EST POUR ÇA QU'ON A ÉTÉ ENVOYÉS ICI.

LA BALISE DE COMMUNICATION N'A PAS ÉTÉ ACTIVÉE DEPUIS DES ANNÉES !

IL N'EST MÊME PAS DIT QU'ELLE FONCTIONNE ENCORE !

PIL A RAISON. ÇA NE VAUT PAS LE COUP.

MONTREZ-MOI JUSTE OÙ ELLE EST,

ET JE ME CHARGERAI DU RESTE.

SI VOUS DEVEZ Y ALLER, ALORS PRENEZ ÇA.

CETTE CARTE EST UN PEU VIEILLE, MAIS ELLE DEVRAIT VOUS MENER À LA BALISE.

LES OMBRES ARRIVERONT RAPIDEMENT, ALORS PARTEZ DÈS QUE VOUS EN AUREZ FINI.

NE VOUS EN FAITES PAS POUR MOI.

ASSUREZ-VOUS SIMPLEMENT DE PRENDRE SOIN DE LA FILLE DU CAPITAINE.

TRISH!

J'AVAIS DEUX OBJECTIFS QUAND ON M'A ENVOYÉE ICI...

PRENDRE SOIN D'ALY...

ET ACTIVER LA BALISE.

J'AI L'INTENTION DE REMPLIR MA MISSION.

ET QUAND VOUS AUREZ ACTIVÉ LA BALISE...

QUI RÉPONDRA À L'APPEL?

JE... JE NE SAIS PAS.

ON M'A SEULEMENT DIT COMMENT LE FAIRE.

J'ESPÈRE QUE VOUS COMPRENEZ QUE NOUS AVONS L'HABITUDE D'ÊTRE AUTONOMES ICI.

VOUS POUVEZ ENVOYER LA TRANSMISSION, MAIS NOUS NE POURRONS PAS MAINTENIR LA PORTE OUVERTE POUR VOUS.

JE N'AI JAMAIS COMPTÉ LÀ-DESSUS.

JE VOUS DEMANDE JUSTE DE METTRE LES AUTRES À L'ABRI.

ON SE VOIT À LA SURFACE!

VOUS LE PENSEZ VRAIMENT?

VOUS FERMERIEZ LA PORTE?

JE FERAI CE QUE J'AI À FAIRE.

ALORS PROMETTEZ QUE VOUS FEREZ DE MÊME AVEC NOUS.

ASSUREZ-VOUS DE REVENIR.

PROMETTEZ-MOI, RIVA!

VOUS FERMEREZ LA PORTE ET FEREZ CE QU'IL CONVIENT POUR LE BIEN DE TOUS.

NOUS AVONS DES IDÉES DIVERGENTES À CE SUJET.

CONTENTEZ-VOUS DE REVENIR À LA PORTE LE PLUS VITE POSSIBLE.

PIL A RAISON.

SI NOUS NE REVENONS PAS, PARTEZ SANS NOUS.

MAIS JE NE PEUX PAS RISQUER DE VOUS PERDRE.

HONNÊTEMENT, MME LA MAIRE,

VOUS N'AVEZ PAS D'AUTRES CHOIX.

TOUT IRA BIEN !

AVEC MOI, LES NABOTS !

LES SIRÈNES.

IL VA FALLOIR QU'ON MAÎTRISE LA FOULE.

BALAN, RASSEMBLE LA RÉSISTANCE ET COMMENÇONS À ÉVACUER LES GENS.

MAINTENANT, RAPPELEZ-VOUS, CES ROBOTS ONT ÉTÉ CONÇUS POUR NETTOYER LES RUES.

ILS N'ONT JAMAIS ÉTÉ PENSÉS POUR DES MISSIONS DE COMBAT !

LEUR ASPIRATION À VIDE SERA ASSEZ FORTE POUR ASPIRER LES OMBRES...

MAIS LES RÉSERVOIRS NE LES RETIENDRONT PAS LONGTEMPS.

IL FAUT JUSTE QU'ON GAGNE ASSEZ DE TEMPS POUR QUE RIVA PUISSE METTRE TOUT LE MONDE EN SÉCURITÉ.

127

OÙ EST NAVIN ?

PAR ICI, TOUT LE MONDE !

DANS LE TUNNEL !

IL EST SORTI COMBATTRE LES OMBRES, BIEN SÛR !

RESTEZ CALMES ET AVANCEZ SANS VOUS BOUSCULER.

SI QUELQU'UN TOMBE, AIDEZ-LE À SE RELEVER.

GARDEZ UN RYTHME SOUTENU JUSQU'AU BOUT DU TUNNEL.

MAIS OÙ VA-T-ON ALLER, RIVA ?

NOUS N'AVONS NULLE PART OÙ FUIR.

CONTENTEZ-VOUS DE RESTER EN VIE.

JE NOUS TROUVERAI UN NOUVEAU FOYER, JE LE PROMETS.

UN ENDROIT PLUS SÛR QU'ICI.

CES ASPIBOTS N'ONT PAS DE GYROSCOPES DE STABILISATION POUR VOUS MAINTENIR DROITS.

S'ILS TOMBENT, VOUS ÊTES CUITS.

COMPRIS, MONSIEUR !

CES COMMANDES ME RAPPELLENT UN JEU VIDÉO AUQUEL JE JOUAIS.

QU'EST-CE DONC QU'UN JEU VIDÉO ?!

OUBLIEZ ÇA, MONSIEUR !

C'EST PARTI.

VVRRRRRK

IL EST TEMPS DE NETTOYER LA MAISON !

129

SHOUMP!

CRACK! KRK!

JE NE PENSE PAS QUE CES RÉSERVOIRS PUISSENT LES RETENIR LONGTEMPS !

IL FAUT JUSTE GAGNER DU TEMPS POUR RIVA ET LES AUTRES !

SHOUMP! SHOUMP!

FAITES CE QUE VOUS POUVEZ POUR LES RETENIR !

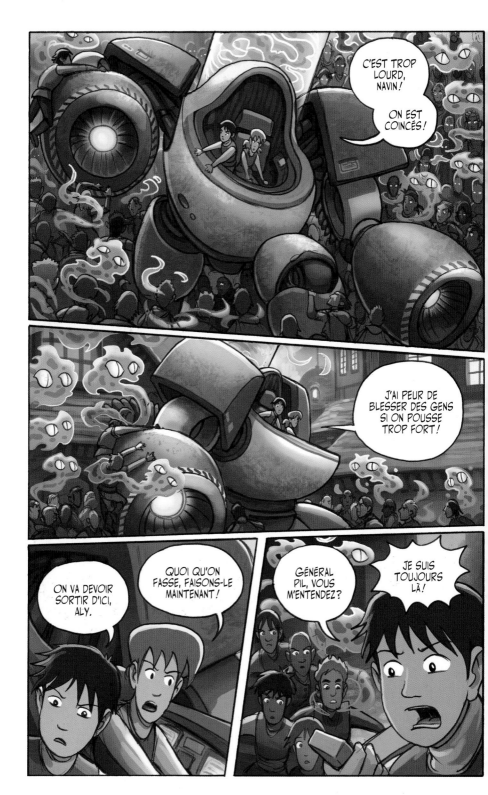

136

ALLEZ*!!*

FERMEZ-LA*!!*

BAM BAM*!!*

QU'EST-CE QUE TU FAISAIS ICI ?

BAM*!*

JE VOULAIS LES REGARDER DANS LES YEUX.

BATTONS-NOUS !

NON *!* CES GENS SONT TOUJOURS NOS FAMILLES ET NOS AMIS.

ON DOIT LES LIBÉRER.

PAS LES BLESSER.

ET ON DOIT SE DÉPÊCHER AVANT QU'ILS NE SCELLENT LES PORTES !

JE CONNAIS LE CHEMIN LE PLUS RAPIDE.

SUIVEZ-MOI !

J'AURAIS AIMÉ QUE TU NE ME LAISSES PAS SEULE, ROB.

C'EST TOI QU'ILS ONT ENTRAÎNÉ POUR ÇA.

PAS MOI.

PERSONNE ICI N'A IDÉE DE CE QU'ILS AFFRONTENT.

ILS SONT TOUS IGNORANTS.

C'EST UN BAZAR SANS NOM ET JE DOIS NETTOYER.

SI MON PÈRE M'A APPRIS UNE CHOSE, C'EST QUE SI ON VEUT QU'UN TRAVAIL SOIT BIEN FAIT...

IL FAUT LE FAIRE SOI-MÊME.

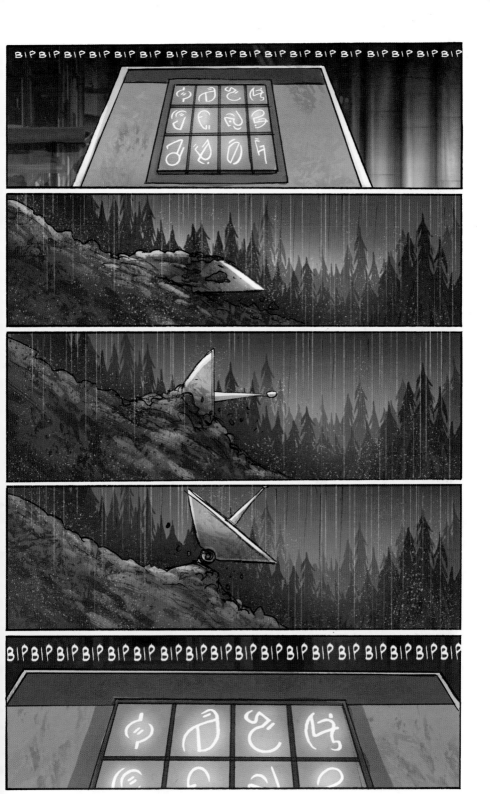

LE MAX QUE TU CONNAIS EST UN FANTÔME. SEULE UNE MALÉDICTION PUISSANTE LE GARDE EN VIE.

AU BOUT DE CINQUANTE ANS, IL SEMBLE QUE MAX A OUBLIÉ LA NATURE DE SON ARRANGEMENT.

CE QUI MONTRE L'ÉTROITESSE DE SON JUGEMENT DANS SA QUÊTE DE VENGEANCE.

VIGO...

PENSES-TU QUE TOUS LES GARDIENS DE LA PIERRE SOIENT MAUDITS?

C'EST PEUT-ÊTRE POUR CELA QUE NOUS AVONS ÉTÉ CHOISIS.

PAS PARCE QUE NOUS ÉTIONS LES PLUS PUISSANTS...

MAIS PARCE QUE NOUS ÉTIONS LES PLUS VULNÉRABLES.

HM.

VOUS VOILÀ!

CE DOIT ÊTRE TON SOUVENIR DE L'ENDROIT, VIGO.

LE MIEN SERAIT BIEN MOINS IDYLLIQUE.

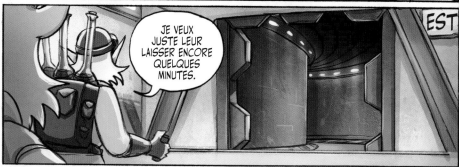

CLIC!

TOUT IRA BIEN.

NAVIN EST UN LEADER COMPÉTENT, DE MÊME QUE LE GÉNÉRAL PIL.

K-KOUM!!

J'ESPÈRE QUE TU AS RAISON.

PAR ICI, TOUT LE MONDE !

EST

FERMÉ

HÉ, ATTENDEZ !

LA PORTE EST FERMÉE !

HEIN ?

TU VOIS ! ELLE EST FERMÉE !

ILS NOUS ONT ABANDONNÉS !

COMMENT ÇA, LA PORTE EST FERMÉE ?

EST-CE QU'IL Y A UN AUTRE CHEMIN POUR SORTIR ?

EST-CE QU'ON PEUT PRENDRE LES CANAUX ?

TOUTES LES ISSUES SONT SCELLÉES, DURANT LA FERMETURE !

LA VILLE A ÉTÉ CONÇUE POUR SE FERMER COMPLÈTEMENT EN CAS D'ÉPIDÉMIE DE CE GENRE.

CE QUI SIGNIFIE QU'AUCUNE SORTIE OFFICIELLE N'EST OUVERTE.

MAIS ON EN CONNAÎT UNE SECRÈTE.

156

VOILÀ LES CRÉATURES GAZEUSES!

SUIVEZ-MOI!

NOTRE UNITÉ A CONSTRUIT UN PASSAGE QUI MÈNE À LA SURFACE AFIN QU'ON PUISSE SE GLISSER DEHORS.

LE PASSAGE EST VRAIMENT PETIT, MAIS JE PENSE QU'ON PEUT TOUS PASSER.

PAR ICI!

DANS LE TUYAU!

JE NE SAIS PAS, LES GARS.

ÇA N'IRA PAS.

ALY ET MOI NE PASSERONS PAS.

COMMENT LE SAVEZ-VOUS?

VOUS N'AVEZ PAS ENCORE ESSAYÉ!

ET C'EST LA SEULE ISSUE!

BON!

JE VAIS RETRAVERSER.

ON PEUT TROUVER UN AUTRE CHEMIN À L'EXTÉRIEUR!

PATRICK RESTE OÙ TU ES!

VA REJOINDRE LES AUTRES ET ON SE RETROUVERA À LA SURFACE!

NE REVIENS PAS POUR NOUS!

MAIS, MONSIEUR!

COMMENT ALLEZ-VOUS SORTIR?

ON TROUVERA UN MOYEN.

VA AIDER RIVA ET LES AUTRES.

DIS-LUI QUE JE VOUS REVERRAI TOUS BIENTÔT.

ET BLOQUE LE TUYAU!

NAVIN, J'AI UNE IDÉE.

SI ON PEUT ACCÉDER AU RÉSEAU ÉLECTRIQUE DE LUCIEN, ON POURRA PEUT-ÊTRE DÉBLOQUER UNE PORTE ASSEZ LONGTEMPS POUR S'ENFUIR.

ÇA VAUT LE COUP D'ESSAYER.

BONNE CHANCE, M'SIEUR!

BONNE CHANCE, M'DAME!

FERME ÇA!

KRRK!

NAVIN?

ILS SONT JUSTE DERRIÈRE NOUS, NAVIN!

NON...

PAS SEULEMENT DERRIÈRE NOUS.

ILS SONT PARTOUT.

161

QUAND MES PARENTS ONT QUITTÉ LA VILLE IL Y A DES ANNÉES, ILS M'ONT LAISSÉ LE RESTAURANT.

J'AI ESSAYÉ DE M'EN OCCUPER QUELQUES ANNÉES, MAIS JE N'ÉTAIS PAS FAIT POUR ÇA.

CHEZ PIL

DEPUIS, J'UTILISE LE BÂTIMENT POUR STOCKER DES BIENS PRÉCIEUX.

LE TRANSPORE EST DANS LA PIÈCE FROIDE, EN SÉCURITÉ.

LES AMIS...

ILS SONT PARTOUT!

ALY!

RENTREZ!

AU CONGÉLATEUR, DANS LA CUISINE!

ALLEZ-Y!

CRAC!

NOM DE NOM!

ILS ARRIVENT!

VITE,
GÉNÉRAL !!

FERMEZ LA
PORTE !!

BAM!
BAM!
BAM!

JE VAIS LES
RETENIR.

BAM! BAM!

VOUS DEUX,
SAUTEZ VITE DANS
LE TRANSPORE !

BAM! BAM!

LE TRANSPORE
NE PERMET QU'UN
SEUL SAUT.

ALLEZ-Y ET DITES À
MA FAMILLE CE QUI
S'EST PASSÉ ICI. ET
QUE JE LES AIME !!

ON Y VA
TOUS
ENSEMBLE
OU PAS DU
TOUT !

GÉNÉRAL,
NON !

175

177

BOUM BADABOUM BOUM

TAC!

CRAC!

IL FAUT QU'ON TROUVE LA NAVETTE DE SECOURS.

BOUM

PARTEZ SANS MOI.

JE DOIS RESTER ICI ET AIDER LES MIENS.

ET VOUS DEVEZ RESTER VIVANTS POUR AIDER LES VÔTRES.

EN QUOI N'ES-TU PAS DES MIENS ?

188

TU SAIS CE QUE JE VEUX DIRE, EMILY.

AS-TU UN PLAN?

SI JE RASSEMBLE LES ELFES SUR LA ZONE D'EMBARQUEMENT, JE SERAI PEUT-ÊTRE À MÊME DE TOUS LES PROTÉGER DE L'IMPACT.

JE L'AI DÉJÀ FAIT.

MAIS IL NE S'AGISSAIT QUE DE NOUS TROIS! L'ÉNERGIE NÉCESSAIRE POUR FAIRE ÇA TE TUERA.

ELLE A RAISON, TRELLIS.

CELA VA NÉCESSITER LE POUVOIR DE NOS TROIS PIERRES!

MAIS LES ELFES NOUS VOIENT TOUJOURS COMME L'ENNEMI.

MÊME À TROIS GARDIENS DE LA PIERRE, COMMENT LES AMÈNERONS-NOUS À NOUS ÉCOUTER?

189

190

BOUM!!!

MAX GRIFFIN, TOUT COMME VOTRE FAUX ROI...

N'ÉTAIT RIEN D'AUTRE QU'UN FANTÔME.

SI VOUS SOUHAITEZ VIVRE ET RESTAURER L'ORDRE DANS NOTRE ROYAUME...

ALORS RESTEZ ICI ET SUIVEZ-MOI... VOTRE PRINCE!!!

BOUM!!

KABOUM!

LE CIEL
COMMENCERA
À TOMBER...

QUE S'EST-
IL PASSÉ,
ICI?

KEUF!
KEUF!

IL NOUS A
SAUVÉS.

QUI?

LE PRINCE
TRELLIS.

TRELLIS?

LE CIEL
COMMENCERA
À TOMBER...

ET UN SOLEIL
SE LÈVERA DE
NOUVEAU.

APPRENDS
À BIEN CONNAÎTRE
LE FILS.

IL PARLAIT DE TRELLIS.

CES ELFES ONT BESOIN DE SOINS MÉDICAUX.

VOUS RESSEMBLEZ À UN MÉDECIN.

POUVEZ-VOUS AIDER À SOIGNER LEURS BLESSURES?

JE NE SUIS PAS MÉDECIN.

JE SUIS MAIRE.

VOUS ÊTES MAIRE?

C'EST UNE LONGUE HISTOIRE.

EH BIEN, CHÈRE MAIRE, NOUS AVONS BEAUCOUP DE BLESSÉS DANS LE GROUPE.

NOUS AURIONS BIEN BESOIN D'AIDE.

JE VAIS RAMENER DES GENS, VOTRE ALTESSE.

ALTESSE?

VOUS ÊTES LE PRINCE.

N'EST-CE PAS?

S'IL VOUS PLAÎT, APPELEZ-MOI SIMPLEMENT TRELLIS.

OHÉ EN BAS!

TOUT LE MONDE A L'AIR D'ALLER BIEN!

C'EST UN VRAI MIRACLE!

DOCTEUR WESTON!

EMILY!

CE DOIT ÊTRE TON ŒUVRE!

C'EST TELLEMENT BON DE TE REVOIR, MA CHÈRE!

NOUS AVONS VU TON FRÈRE À LUCIEN!

OÙ EST-IL À PRÉSENT?

NOUS AVONS ABANDONNÉ VOTRE FRÈRE DANS LES GROTTES DE LUCIEN.

JE N'AURAIS PAS DÛ LE LAISSER DERRIÈRE NOUS À AFFRONTER LES OMBRES.

SI CELA PEUT VOUS RASSURER, IL EST AVEC NOTRE MEILLEUR SOLDAT, LE GÉNÉRAL PIL.

ALY EST AVEC LUI?

OUI.

TOUT IRA BIEN.

VOUS SEMBLEZ TRÈS SÛRE DE VOUS.

C'EST MON FRÈRE.

QUAND QUELQUE CHOSE N'IRA PAS, JE LE SAURAI.

C'EST BON DE VOUS REVOIR, LES GARS!

J'AVAIS PARIÉ CINQUANTE BILLETS AVEC RICO QUE VOUS VOUS EN SORTIRIEZ, ALORS MERCI!

ENZO!

MESSIEURS.

PRÉPARE LE *PAPILLON LUNE* POUR LE DÉCOLLAGE, ENZO.

NOUS ALLONS POURSUIVRE NOTRE MISSION SANS CHAPERON, CETTE FOIS.

MAIS J'AI
L'IMPRESSION QUE
JE N'AI PAS FINI
D'ENTENDRE PARLER
DE LUI.

800 KILOMÈTRES AU NORD DE LUCIEN

205

QUAND J'AVAIS TON ÂGE, JE DEVAIS CONDUIRE UN MÉCA FAIT AVEC DES BOÎTES DE SAVON ET DES BOÎTES DE CONSERVE.

CET ENGIN EST UNE LIMOUSINE, EN COMPARAISON.

ISAAK !

QUAND J'AVAIS LEUR ÂGE, ON FAISAIT DES MÉCAS AVEC DU BOIS ET DES PIERRES !

MÊME POUR TOI, C'ÉTAIT FACILE !

OUI, M'SIEUR.

N'OUBLIE PAS QUE TU PEUX REVENIR À LA MAISON SI TU AS BESOIN DE NOUS !

OUI, M'DAME !

MERCI BEAUCOUP POUR VOTRE HOSPITALITÉ.

NOUS PRENDRONS SOIN DE VOTRE FILS.

QUELLE ADORABLE ENFANT.

SOYEZ BIEN PRUDENTS EN PASSANT LE COL.

NON SEULEMENT LES ELFES PATROUILLENT LE COL, MAIS AUSSI DES BRIGANDS ET DES MONSTRES. RESTEZ SUR VOS GARDES !

NOUS FERONS DE NOTRE MIEUX POUR ÉVITER LES ENNUIS.

ET MERCI POUR L'ÉQUIPEMENT.

CONTENTEZ-VOUS DE LE RAPPORTER EN UN SEUL MORCEAU.

SANS FAUTE !

TU NE LES RÉCUPÈRERAS JAMAIS.

OH, JE SAIS.

SANS TRANSPORE, ON A UNE LONGUE ROUTE JUSQU'À LUCIEN.

CELA POURRAIT NOUS PRENDRE DES SEMAINES POUR Y ARRIVER.

ON NE RETOURNE PAS À LUCIEN.

LE TEMPS QU'ON Y ARRIVE, LES AUTRES SERONT PARTIS.

ON VA À VALCOR.

C'EST LÀ QU'EMILY SERA.

TU PENSES QU'ELLE VA AFFRONTER LE ROI ELFE...

SI ON PEUT METTRE LE BAZAR DANS CE PANIER DE CRABES...

ÇA ME VA!

MAIS ON VA AVOIR BESOIN D'AUTRE CHOSE QUE CES ARMURES DE MÉTAL!

JE SAIS...

ON VA AVOIR BESOIN D'UN COUP DE MAIN DE NOS AMIS.

BIPBIPBIPBIP BIPBIPBIP BIPBI

BIP   BIP   BIP   BIP   BIP   BIP   BIP   BIP   BIP   BIP

JE PENSAIS QU'ON AVAIT TOUT RÉPARÉ!

QU'EST-CE QUE TU ATTENDS ENCORE DE NOUS, MAISON?

BIP!

HÉ! C'EST UN SIGNAL DE DÉTRESSE!

QUELQU'UN A ACTIVÉ LA BALISE!

LE SIGNAL PROVIENT DE LA VILLE DE LUCIEN!

ÉTRANGE, CAR LUCIEN EST CENSÉE ÊTRE ABANDONNÉE.

ALORS LE SIGNAL EST PEUT-ÊTRE UNE ERREUR.

LAISSONS QUELQU'UN D'AUTRE RÉPONDRE À L'APPEL.

SILAS NE FERAIT PAS ÇA! NOUS DEVONS AGIR!

ALLONS-Y!

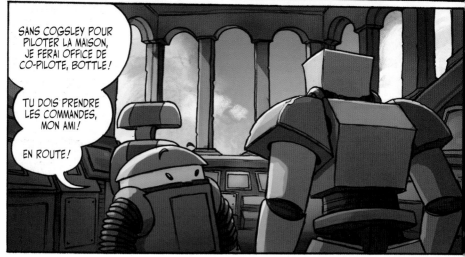

SANS COGSLEY POUR PILOTER LA MAISON, JE FERAI OFFICE DE CO-PILOTE, BOTTLE!

TU DOIS PRENDRE LES COMMANDES, MON AMI!

EN ROUTE!

FIN DU LIVRE SIX

ÉCRIT ET DESSINÉ PAR
KAZU KIBUISHI

ASSISTANT DE PRODUCTION PRINCIPAL
JASON CAFFOE

COULEURS ET DÉCORS
JASON CAFFOE
KAZU KIBUISHI
TIM PROBERT
ALICE DUKE
JEFFREY DELGADO
DAVE MONTES
MARY CAGLE

POSE DES COULEURS
MARY CAGLE
PRESTON DO
CRYSTAL KAN
MEGAN BRENNAN
STUART LIVINGSTON

REMERCIEMENTS

AMY, JUNI ET SOPHIE KIM KIBUISHI, RACHEL ORMISTON, NANCY CAFFOE, JUDY HANSEN, DAVID SAYLOR, PHIL FALCO, CASSANDRA PELHAM, BEN ZHU ET L'ÉQUIPE DE LA GALERIE NUCLEUS, TAO, TAKA ET TYLER KIBUISHI, TIM GANTER, SUNNI KIM, JUNE, MASA, JULIE ET EMI KIBUISHI, SHEILA MARIE EVERETT, LIZETTE SERRANO, BESS BRASWELL, WHITNEY STELLER, LORI BENTON, ET ELLIE BERGER.

ET LES PLUS GRANDS REMERCIEMENTS QUI SOIENT AUX BIBLIOTHÉCAIRES, LIBRAIRES, PARENTS ET LECTEURS QUI NOUS ONT SOUTENUS TOUT CE TEMPS. NOUS NE SOMMES RIEN SANS VOUS.

À PROPOS DE L'AUTEUR

Kazu Kibuishi est le créateur et l'éditeur des célèbres anthologies *Flight*, ainsi que le créateur de *Copper*, un recueil de ses bandes dessinées pour le Web dont les protagonistes sont un duo d'aventuriers composé d'un garçon et de son chien. *Amulet*, Livre Un : *Le Gardien de la pierre* a été plusieurs fois récompensé aux États-Unis dans la catégorie « bande dessinée jeunesse ». *Amulet*, Livre Deux : *La Malédiction du Gardien de la pierre* et *Amulet*, Livre Trois : *Les Chercheurs de nuages* ont tous deux intégré la liste des best-sellers du *New York Times*. Kazu a également illustré les nouvelles couvertures des livres *Harry Potter*, de J. K. Rowling, à l'occasion du 15e anniversaire de la sortie de la collection avec couverture souple chez Scholastic. Il vit et travaille à Seattle, dans l'État de Washington, avec sa femme Amy Kim Kibuishi et leurs enfants.

WINDSOR

Prison de glace
de Korthan

Montagne de Gondoa

RIVIÈRE TAKA

Kanalis

Montagne de la
Tête du démon

MONTAGNES NOBUO

Forêt noire

Nautilus

Canyon
Drucker

MONTAGNES
COCONINO

VALLÉE
COCONINO

LUFEN

Pomo